D0608851

Le Petit Livre de la Spiritualité

Jean Gastaldi

LE PETIT LIVRE
DE LA SPIRITUALITÉ

ÉDITIONS DU
ROCHER
Jean-Paul Bertrand

ISBN 2 268 05339 3

« *À nos frères et sœurs en esprit
qui sont autant de lumières
sur le chemin.* »

*i*l ne faut pas confondre spiritualité et religions. La spiritualité regroupe toutes les formes de pensées et d'actions dirigées vers l'essentiel de l'être et de la connaissance de la vie. Il s'agit d'une quête à la fois individuelle et collective qui cherche à transformer l'être vers l'accomplissement de ses facultés électives.

Il s'agit de trouver ce que les anciens appelaient ce « supplément d'âme ». De faire fructifier ses potentialités au service des hommes, en obéissant aux lois de la vie et à son sens théocratique. Sans fanatisme ni croyance aveugle. Bien au contraire, la spiritualité doit permettre à l'homme et à la femme d'être en osmose subtile avec les autres. De les comprendre et les servir.

La laïcité des démocraties actuelles ne suffit pas pour donner un sens véritable à la vie. Chacun sent plus ou moins confusément qu'il est nécessaire de transcender son être. L'esprit doit supplanter le mental. La quête de chacun doit contribuer à celle de tous, sans rien imposer ni contraindre.

Ce petit livre de la spiritualité n'a pas d'autre prétention que de proposer des pistes pour parcourir ce chemin de vie et d'ouvrir sa compréhension et son appétit aux nourritures célestes et au regard intérieur.

JEAN GASTALDI

la spiritualité,
c'est ce qui nourrit l'homme.
La matérialité,
c'est ce qui l'alourdit.

*l*a vie
ne peut avoir de sens
pour celui
 qui n'est pas en quête.

*l*es religions
ne doivent pas être des dogmes,
mais des tremplins pour aller
les uns vers les autres.

*N*ous emporterons avec nous,
à l'heure de notre mort,
seulement ce qui fut
la richesse de notre esprit.

*U*ne seule question à se poser :
quelle est la causalité de l'homme ?
Notre vie doit tenter d'y répondre.

*l*a quête spirituelle
doit être vitale,
comme l'air que l'on respire.

*i*l faut choisir
nos nourritures spirituelles
en prenant garde aux produits
avariés et dangereux.

*l*e fanatisme est le contraire
de la véritable spiritualité.

*i*l ne faut pas imposer aux autres nos convictions.

Il suffit simplement de montrer ce que notre propre perception a changé dans notre vie.

*I*l n'y a pas de spiritualité
supérieure à d'autres,
d'Occident ou d'Orient.
Il s'agit seulement de chemins
plus ou moins longs
qui se dirigent tous
vers les sommets,
au plus près du ciel.

Celui qui ne se pose pas
une seule fois cette question :
« Qu'est-ce que je fais sur terre ? »,
ne peut comprendre
l'enseignement spirituel.

*i*l y a ceux
qui cherchent en groupe :
dans ce cas, attention au gourou.
Et ceux
qui cherchent individuellement :
dans ce cas, attention
à la trop grande solitude.

le mot « Dieu »
divise autant qu'il rassemble.
Il faut dépasser les mots
qui peuvent être des freins
à sa propre quête.

*S*avoir regarder la nature,
c'est prier
avec le sens harmonique
de la vie.

*l*e regard du nouveau-né
est plus sage que celui
du grand savant.
Il faut parfois désapprendre
pour mieux appréhender
l'essentiel.

*l*a vie est
un cadeau universel
à notre individualité.

les rites et coutumes
sont parfois nécessaires
pour rythmer notre vie.

*a*pprendre
à poser les bonnes questions,
c'est déjà y répondre.

Chaque jour,
s'imposer une méditation
– même courte –
pour se « brancher »
à l'essentiel.

*l*a spiritualité
se nourrit principalement
de l'amour.

*U*ne prière pour demander
ne vaut pas une pensée
pour remercier.

Comprendre la mort
et l'accepter,
c'est comprendre la vie
et avancer
en conscience sur son chemin.

*d*evenir le maître de soi-même.

*l*es gourous sont légion,
les maîtres véritables sont UN.

la spiritualité consiste
à ne pas imposer aux autres
nos propres discernements.
On ne peut parcourir le chemin
pour les autres.

Notre vie doit être un véritable
chemin initiatique.

*i*l n'y a pas de vérité
accessible à l'homme,
seulement des chemins
de recherches de la vie
véritable.

il y a des êtres qui se battent
pour une interprétation
des livres sacrés
et d'autres qui sont
sur le chemin de la joie
sans même avoir rien lu.

*l'*humilité
sans fausse modestie
est un comportement
d'une quête spirituelle juste.

*i*l faut plutôt ressentir
que chercher l'enseignement.
Il est préférable d'expérimenter
que de recopier des recettes.

*ê*tre en quête,
c'est chercher l'ouverture
de la conscience.

Un être sans amour
est un être sec.
La spiritualité fait venir la sève
dans les terrains les plus arides.

Chasser les pensées négatives
qui sont la pollution de l'être.

*d*evenir conscient,
c'est aussi mourir à soi-même.

Un être généreux
est un être en quête
de spiritualité.

*t*rouver dans la nature
l'âme du monde
et dans l'homme
l'esprit des dieux.

Comment peut-on vivre
sans nourriture ?
Comment peut-on avancer
dans la vie
sans quête de la conscience ?

*t*ous les chemins authentiques
de la quête spirituelle
mènent à la même sève
et au tronc de l'arbre du monde.

*a*ujourd'hui, il y a encore plus
de confusion avec les mots.
« Spiritualité », « religion »,
« ésotérisme », « croyance »
ont des sens différents
mais parfois
de mêmes intentions.

*ê*tre spirituel,
ce n'est pas être drôle en société
et avoir l'intelligence bien faite.
Il s'agit seulement
de tenter de comprendre
le sens de la vie
et notre place
juste et nécessaire
dans le monde d'aujourd'hui.

50

*d*ominer ses passions,
c'est maîtriser sa vie.

*l*e seul faux dieu
que la plupart des gens vénèrent
s'appelle argent, money...

*l*a quête des sens
doit être remplacée
par la quête DU sens.

*l*a spiritualité doit
conduire au développement
harmonique de l'être.

*l*a spiritualité vivante
est un chemin d'incertitude.

*l*a quête du bonheur véritable
passe par la conscience
de la vie.

*ê*tre en vie,
malgré toutes les difficultés
que chacun rencontre,
est un véritable cadeau,
unique et éphémère.

*i*l faut mettre à profit
le peu de temps
que l'on passe sur terre
pour effectuer un travail
spirituel essentiel.

*C'*est au dernier moment
de notre vie
que l'on prendra
vraiment conscience
de la chance
que l'On nous a donnée.

*l*e véritable enseignement
spirituel n'impose rien,
il propose seulement.

*q*ui peut répondre
sans mentir
à cette question :
qu'y a-t-il après notre mort ?

*i*l y a des gens
qui ne cherchent
que des réponses
sans poser aucune question.

*l*a véritable spiritualité
tend à nous mettre avant Babel.
Là où tous les hommes
parlaient le même langage.

*l*a quête spirituelle
ne doit pas rendre malheureux
mais conscient
de la chance d'être en vie.

Qu'est-ce que l'homme
par rapport aux deux cents
milliards de galaxies
dénombrées aujourd'hui ?
Un homme unique et essentiel.

*l*e chemin spirituel est balisé
par les signes que les anciens
nous ont laissés
comme autant de témoignages
de leurs propres quêtes.

*t*ravailler chaque jour
notre maître intérieur.

la spiritualité ne se trouve pas
et ne se pratique pas
dans les cachettes sombres,
mais dans tous les lieux
pleins de lumière.

*l*a spiritualité est parfois
la risée de rationalistes
ou de matérialistes de tous poils.
Riront-ils tout le temps ?
Et à l'heure de leur bilan de vie ?...

*a*pprendre à donner
pour donner,
selon le sens de Maître Eckhart.

*t*elle une joie indicible
et subtile,
la quête spirituelle
offre un axe de vie.

l'esprit dirigé vers l'essentiel
nous indique le centre.

la quête,
c'est de parcourir le labyrinthe,
tel celui de la cathédrale
de Chartres par exemple.
Mais ensuite, il faut apprendre
à en sortir.
La porte invisible
se trouve par le haut.

l'écriture mystérieuse
de la vie se trouve
dans la géométrie sacrée.

l'enseignement
des polyèdres réguliers,
cher à Platon,
est plus important
que toutes les bibliothèques
de livres ésotériques.

l'Amour est à la quête
ce que Dieu est
à la pensée des hommes.

le grand Mystère,
c'est celui de la séparation
qui a fait passer
de l'Unité inconnaissable
à la dualité créatrice.

Si tu rencontres Bouddha,
tue-le, dit Hermann Hesse.
Si tu rencontres un Maître
qui se reconnaît,
passe ton chemin.

*C*ertains sont devenus
des fonctionnaires
de la spiritualité
en oubliant
le sens de leurs services.

*l*a croyance n'est pas la foi.
Il ne faut jamais fermer
son esprit aux certitudes.

*i*l y a plus d'esprit dans la matière que de matière dans l'esprit.

l'homme doit en permanence
chercher l'éveil
de la conscience
qui fait écho en lui.

*l*a quête initiatique
est composée d'épreuves
à l'issue incertaine.
Mais l'important est le chemin
à parcourir et non le but.

*l*a spiritualité doit nourrir l'âme
et non lui imposer des servitudes.

*i*l faut, selon l'adage ancien,
« rendre la maison à son Maître ».
C'est-à-dire transmuter
ses potentialités
pour servir la vie.

*i*l faudrait chaque jour
méditer au moins cinq minutes
sur le sens de notre vie.

*p*ratiquer la spiritualité,
c'est mettre en harmonie
notre vie
avec nos essentielles exigences
quotidiennes.

*l*e silence que l'on s'impose
est une forme
de retraite spirituelle.

*l*es êtres qui pratiquent
la spiritualité avec succès
sont des hommes
et des femmes
de rayonnement
et de lumière.

l'arbre de la connaissance
est universel.
Il ne peut appartenir
à un homme,
à un groupe
ou à un clan.

*i*l faut fuir dans sa vie
ce qui est vain (telle la vanité)
et rechercher le sens profond
des événements
qui se présentent à nous.

*N*ous avons à apprendre
les signes qui bornent
le chemin de notre destinée.

*i*l n'y a pas d'êtres
plus ou moins importants.
Il y a seulement des êtres
plus ou moins profonds.

*O*n prépare sa mort
pendant toute sa vie.

*N*os cinq sens sont les outils
mis à notre disposition
pour découvrir ce qui est
du domaine
de l'intuition spirituelle.

*i*l faut se méfier de la culpabilité
véhiculée par certaines religions.
Il faut seulement se culpabiliser
pour les actes négatifs
que l'on commet.

Ce qui est dangereux
dans la recherche ésotérique,
c'est que l'on doit choisir
constamment
entre l'ombre et la lumière.

Une pensée négative
est une énergie vivante
qui se retournera tôt ou tard
contre son émetteur.

*N*otre quête est avant
tout une quête d'harmonie.

*l*a béatitude apparaît
lorsque l'on arrive
– même un instant –
à capter la musique des sphères.

*i*l y a dans les Nombres
tout le secret de la création.

*l'*homme doit en permanence chercher sa place dans l'Univers, c'est-à-dire mettre en perspective son individualité avec l'immensité de la création.

*O*n devrait enseigner la spiritualité
dans toutes les écoles,
comme on apprend
aux enfants à se nourrir.

*l*a musique sacrée
peut réunir ce que l'écrit sépare.

Un acte positif
est un acte d'amour.

*N*otre petitesse
ne provient pas
de notre fragilité humaine
mais d'un manque de courage
envers la quête de l'essentiel.

*l*e mental comme l'intellect
sont des obstacles redoutables
à l'évolution de la conscience.

*i*l faut être guidé
plus par son cœur
que par son cerveau.

*C*haque jour,`
il faut trouver un instant
pour percevoir la chance
qui nous est donnée
d'être en vie.

*n*ous avons l'inclination
de penser que nous avons raison
par rapport à l'autre.
Ce dernier pense
de la même façon que nous.
C'est pourquoi il y a des guerres,
même au niveau
des philosophies spirituelles.

la mort n'existe pas
puisque la nôtre
ne changera rien
à la dimension de l'Univers.

l'épreuve la plus terrible,
c'est de perdre en un jour
tout l'amour que l'on a construit.
Il faut trouver dans l'instant
la force de se reconstruire.

*i*l n'y a pas
une plus belle maison de vie
que celle d'une famille
véritable.

la vie donne
un enseignement direct.
Les hommes le récupèrent
pour l'analyser, le traduire,
le disséquer et donc le trahir.

le véritable ami
est celui que l'on rejoint
dans sa quête spirituelle.

*l*a peur du vide
empêche le premier pas
vers le sentier de la lumière.

*i*l faut grandir
comme pour grimper
sur l'échelle de Jacob.

Un homme de passions
non maîtrisées
ne peut aller loin
sur le chemin initiatique.

*l*a spiritualité
doit nous mener
vers la sagesse véritable.

*i*l faut apprendre
à développer son intuition
afin de trouver
le sens juste des êtres
et des choses.

la quête spirituelle
ne se transmet pas,
elle se vit.

*i*l y a en chacun(e)
un maître qui sommeille
et qui attend l'appel.

*l*a foi du charbonnier
devrait servir seulement à
alimenter les poêles.

*d'*où viennent les livres saints ?
Et quel est le livre unique
de toute origine
dont la lecture la plus directe
est la vie ?

*i*l n'est pas grave
de se tromper
si l'on sait
le reconnaître à temps.

Centrer sa vie sur l'essentiel,
c'est prendre souvent
des décisions difficiles,
qui ne sont parfois
pas comprises.

*f*aire retraite,
c'est se retirer en soi-même
pour écouter au plus près
son cœur conscience.

*O*n ne peut servir
deux maîtres à la fois.
L'un est obligatoirement faux.
Mais peut-être les deux aussi.

*l*a quête nous enseigne
que la véritable intelligence
est celle du cœur.

*t*rouver sa règle de vie
pour mieux mettre en musique
sa quête intérieure.

la vie nous envoie des épreuves
de plus en plus importantes
au fur et à mesure
que nous triomphons d'elles.

l' « Architecte des mondes »
n'est pas
qu'une appellation maçonnique.
Le terme donne la dimension
de la construction voulue
par le « Commandeur ».

qu'il est difficile
d'avoir une vie simple
et droite !

*N*e pas compter
sur les vies futures
– si elles existent –
pour réaliser
nos potentialités spirituelles.
Il faut agir ici
et dès maintenant.

*b*eaucoup d'êtres
embrassent une religion
pour être pris totalement
en charge par elle.
Mais celui qui ne progresse plus
meurt.

il faut trouver l'accès
au livre de vie,
qui n'a jamais été écrit,
et au mystère de la création,
qui ne s'est jamais
totalement révélé.

*S*ur la voie,
il faut avoir
la curiosité de l'enfant
et la sagesse du vieillard.

Celui qui accomplit
avec justesse
une petite tâche
est déjà l'égal des dieux.

*C*omment trouver le passeur,
comme celui du « Serpent vert »
de Goethe,
pour atteindre l'autre rive ?

*N*ous rirons ou pleurerons
demain de nos certitudes
d'aujourd'hui.

On ne peut transmettre,
même aux êtres les plus chers,
le secret de la vie
qu'on a perçu.

*l*a quête spirituelle
impose un total lâcher-prise.

*C*omment goûter
à la pomme du Maître
s'il l'a déjà croquée ?

IMPRIMÉ EN FRANCE PAR BRODARD ET TAUPIN
28293 - La Flèche (Sarthe), le 11-02-2005.
Dépôt légal : février 2005